Fi,

....

biau'r llyfr yma.

I Seb, Pippa
a Harry

Cyhoeddwyd gan Rily Publications Ltd,
Blwch Post 257, Caerffili CF83 9FL

Hawlfraint yr addasiad © 2019 Rily Publications Ltd
Addasiad Cymraeg gan Eleri Huws

Cyhoeddwyd yn wreiddiol yn Saesneg yn 2019 dan y
teitl Cyril the Lonely Cloud gan Oxford University Press.
Hawlfraint testun a darluniau © Tim Hopgood 2019
Mae awdur a darlunydd y llyfr hwn yn datgan ei hawliau moesol.

ISBN 978-1-84967-073-9

Argraffwyd yn China

Daw'r papur a ddefnyddiwyd ar gyfer y cyhoeddiad hwn o goed
sy'n tyfu mewn fforestydd cynaliadwy. Cynnyrch naturiol y gellir ei
ailgylchu yw hwn. Mae'r broses gynhyrchu yn cydymffurfio â rheolau
amgylcheddol y wlad y mae'n hanu ohoni.

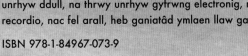

RILY

rily.co.uk

CLeD

Y CWMWL UNIG

tim hopgood

Addasiad gan Eleri Huws

RILY

'Beth
am i ni
gael picnic?'

'Hwrê! Syniad da.
Mae'n ddiwrnod perffaith.'

Wel, *roedd* e'n berffaith nes i Cled ymddangos …

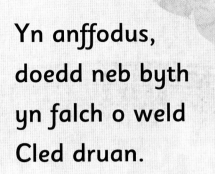

Yn anffodus,
doedd neb byth
yn falch o weld
Cled druan.

Roedd e wastad
yn cael y bai
am ddifetha
hwyl pawb.

'Hoffwn i edrych i lawr ar y byd a gweld rhywun yn **gwenu**,' meddai Cled yn drist.

Ond roedd e'n gwybod yn iawn
beth oedd ar feddwl pawb ...

'Dos i ffwrdd, Cled –
does neb dy eisiau di yma.'

Felly, dyna'n union
beth wnaeth e.

Crwydrodd Cled yn bell, bell
i ffwrdd i chwilio am rywun
oedd yn gwenu'n hapus.

Bu'n hofran dros
y caeau, yr afonydd
a'r pontydd ...

dros
bentrefi bach
a dinasoedd
mawr ...

ac ymhell dros y **môr** hefyd!

Wrth i Cled hofran
dros y dŵr, roedd
e'n tyfu'n **fwy** ...

ac yn fwy ...

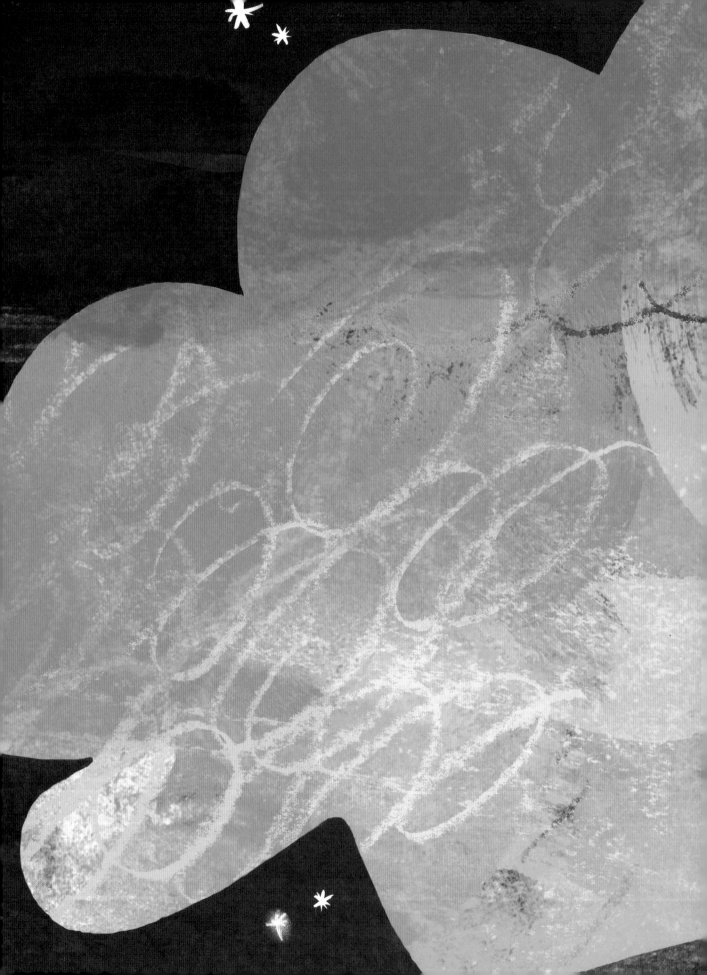

O'r diwedd, daeth Cled i **wlad newydd**.

Roedd y ddaear yn ferwedig o **boeth**.

Ond wrth
    i Cled symud
        yn araf
            ar draws
                yr awyr ...

roedd ei gysgod **anferth**
yn oeri'r ddaear
oddi tano.

'Diolch i ti, Cled!'
gwaeddodd pawb.
'Mae'r cysgod yn hyfryd.'

Roedd Cled yn teimlo
mor hapus nes iddo
ddechrau crio.
Nid dagrau
trist ...

ond dagrau
mawr, **mawr** o
hapusrwydd!

Ac wrth i ddagrau Cled wlychu'r ddaear,
dechreuodd popeth **wenu!**

A
dyna'r
cyfan
roedd
Cled
wedi'i
ddymuno
erioed ...

gallu edrych
i lawr ar y
byd a gweld
pawb yn
**gwenu'n
hapus!**